LES COPAINS DU COIN

LE POT DE NOUILLES

Larry Dane Brimner • Illustrations de Christine Tripp

Texte français d'Hélène Pilotto

Éditions SCHOLASTIC

À Kris Flynn
— L.D.B.

À ma fille Erin
— C.T.

Catalogage avant publication de la
Bibliothèque nationale du Canada

Brimner, Larry Dane
Le pot de nouilles / Larry Dane Brimner;
illustrations de Christine Tripp;
texte français d'Hélène Pilotto.

(Les Copains du coin)
Traduction de : The Noodle Game.
Pour enfants de 4 à 8 ans.
ISBN 0-439-96272-2

I. Tripp, Christine II. Pilotto, Hélène III. Titre.
IV. Collection : Brimner, Larry Dane. Copains du coin.

PZ23.B7595Pot 2004 j813'.54 C2004-902784-0

Édition publiée par les Éditions Scholastic, 604, rue King Ouest, Toronto (Ontario) M5V 1E1.

6 5 4 3 2 Imprimé au Canada 06 07 08 09 10

Un livre sur

la loyauté

Gaby et Alex freinent brusquement. JP les suit avec son vélo qui cliquette de partout. Les trois amis se surnomment les Copains du coin.

— Regardez! s'exclame Gaby.

JP lit l'affiche placée dans
la vitrine : « Vélo à gagner!
Devinez le nombre de nouilles
qu'il y a dans le pot. »

Il jette un coup d'œil
à son vieux vélo rouillé.

— J'aurais bien besoin
d'un nouveau vélo,
dit-il.

VÉLO
AGNER!
EVINEZ
NOMBRE
NOUILLES
'IL Y A
S LE POT.

Les Copains du coin déposent leurs vélos et se précipitent à l'intérieur de la boutique de vélos. Ils s'arrêtent devant le pot rempli de nouilles.

— Oh! dit Alex, ça en fait des nouilles!

5

Gaby est la première à remplir son coupon. Elle écrit d'abord son nom, puis le nombre 500.

— Cinq cents, c'est beaucoup, dit-elle.

Alex est le suivant. Il pense que cinq cents, c'est beaucoup trop.

Il écrit le nombre 100 sur son coupon.

JP s’approche du pot. Il compte les nouilles du dessus. Il compte les nouilles sur le côté, de haut en bas.

Puis il saisit le pot pour compter
les nouilles qui en couvrent le fond.

C'est alors qu'il voit un morceau
de papier collé sous le pot.

Le nombre 965 est écrit dessus.

965

— Tu dois deviner sans toucher au pot, dit Geneviève, la vendeuse, debout derrière le comptoir.

JP repose le pot et remplit son coupon.

Le samedi suivant, les trois amis retournent à la boutique de vélos pour voir s'ils ont gagné.

En chemin, JP raconte à Gaby et à Alex qu'il a vu un nombre inscrit sous le pot.

— Tout le monde est prêt? demande Geneviève à la foule.

Elle brandit un morceau de papier et annonce qu'il y a 965 nouilles dans le pot.

Elle verse les nouilles en tas sur la table et dit :

— La gagnante est Catherine Roy, qui a écrit 952 sur son coupon.

952

La foule applaudit quand Catherine sort de la boutique avec son vélo tout neuf.

— Tu n'as pas donné la bonne réponse? demande Gaby à JP, tout bas.

— Ça n'aurait pas été loyal de ma part, répond JP.

— Hum! tu as raison, reconnaît Gaby.

— Alors, quel nombre
as-tu écrit sur ton coupon?
demande Alex.

— Zéro, répond JP
en souriant.

Ils éclatent tous les trois
d’un grand rire.

Titres de la collection

LES COPAINS DU COIN

Le chien à garde partagée

Le chien savant

Le manteau cool

Un match à la gomme

Où est l'argent?

Le pot de nouilles

La p'tite nouvelle

Tout le monde à l'eau!

Le truc qui brille